de Martin et Sidonie

une BD interactive

Le projet X

ProjetX
Jeu
UNE AVENTURE DE MARTIN ET SIDONIE
Le projet X
1re partie
Un colis pour vous des îles Katumanu!
Va ouvrir, Martin! Je ne peux pas interrompre mon expérience!
Tu rigoles, Sidonie? Ma sauce va attacher! Vas-y, toi!
Boucherie
HAUT
BAS
Il y a 12 détails bizarres dans cette image. Trouve-les !
PAGE 2
BANG! PSSSH...
C'est pas trop tôt!
HAUT
Ça alors! C'est Tonton Gus! Il dit: "Chers enfants, je suis en grand danger. J'ai confiance en vous deux. C'est pourquoi je vous demande de venir m'aider le plus vite possible. Ci-joint deux billets d'avion pour Katumanu. Signé: Oncle Gustave."
"PS: Ce colis contient mon chien X-1 qui vous sera très utile."
Wa! Wa!
Au secours!

À L'AÉROPORT

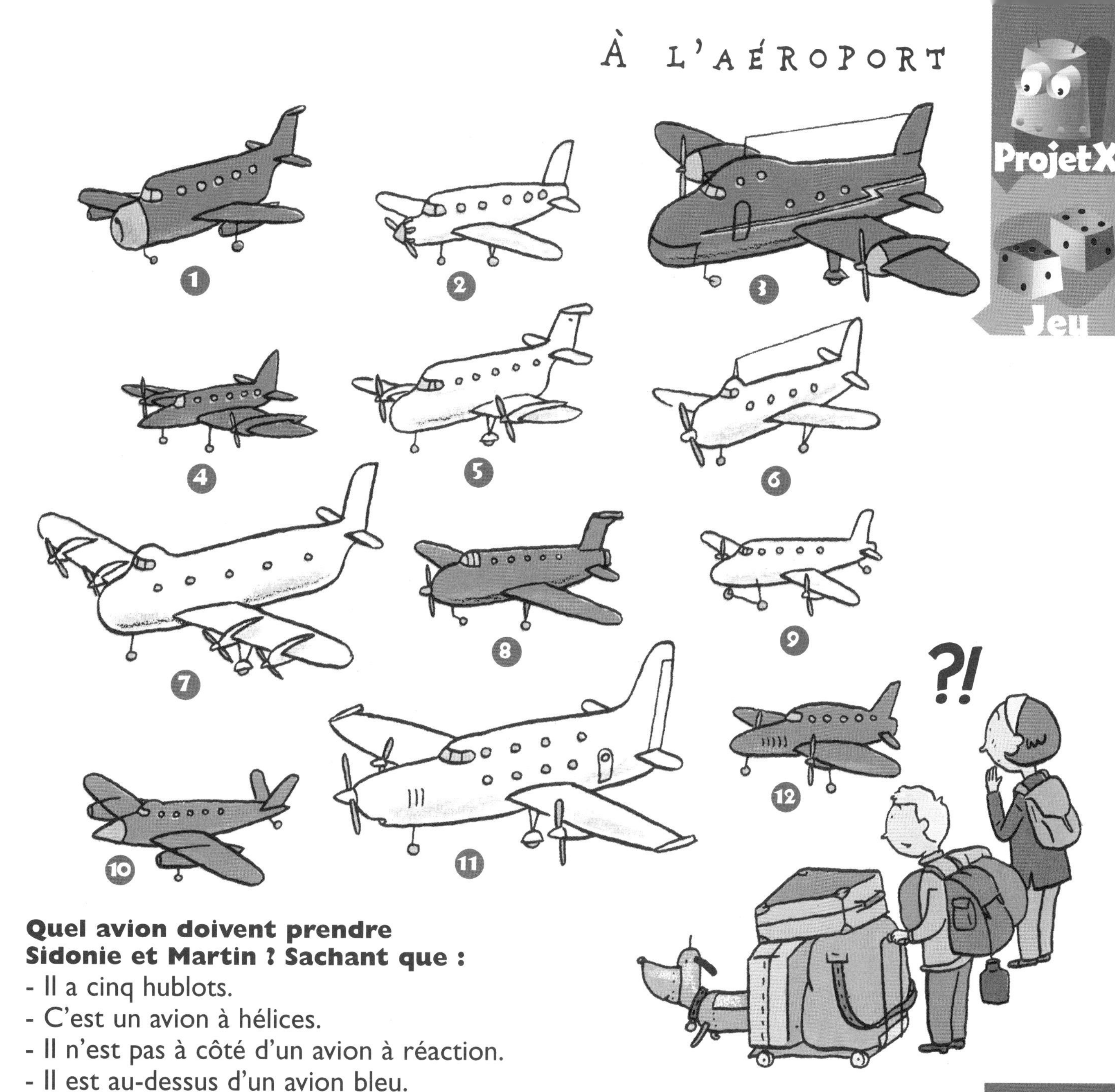

Quel avion doivent prendre Sidonie et Martin ? Sachant que :

- Il a cinq hublots.
- C'est un avion à hélices.
- Il n'est pas à côté d'un avion à réaction.
- Il est au-dessus d'un avion bleu.

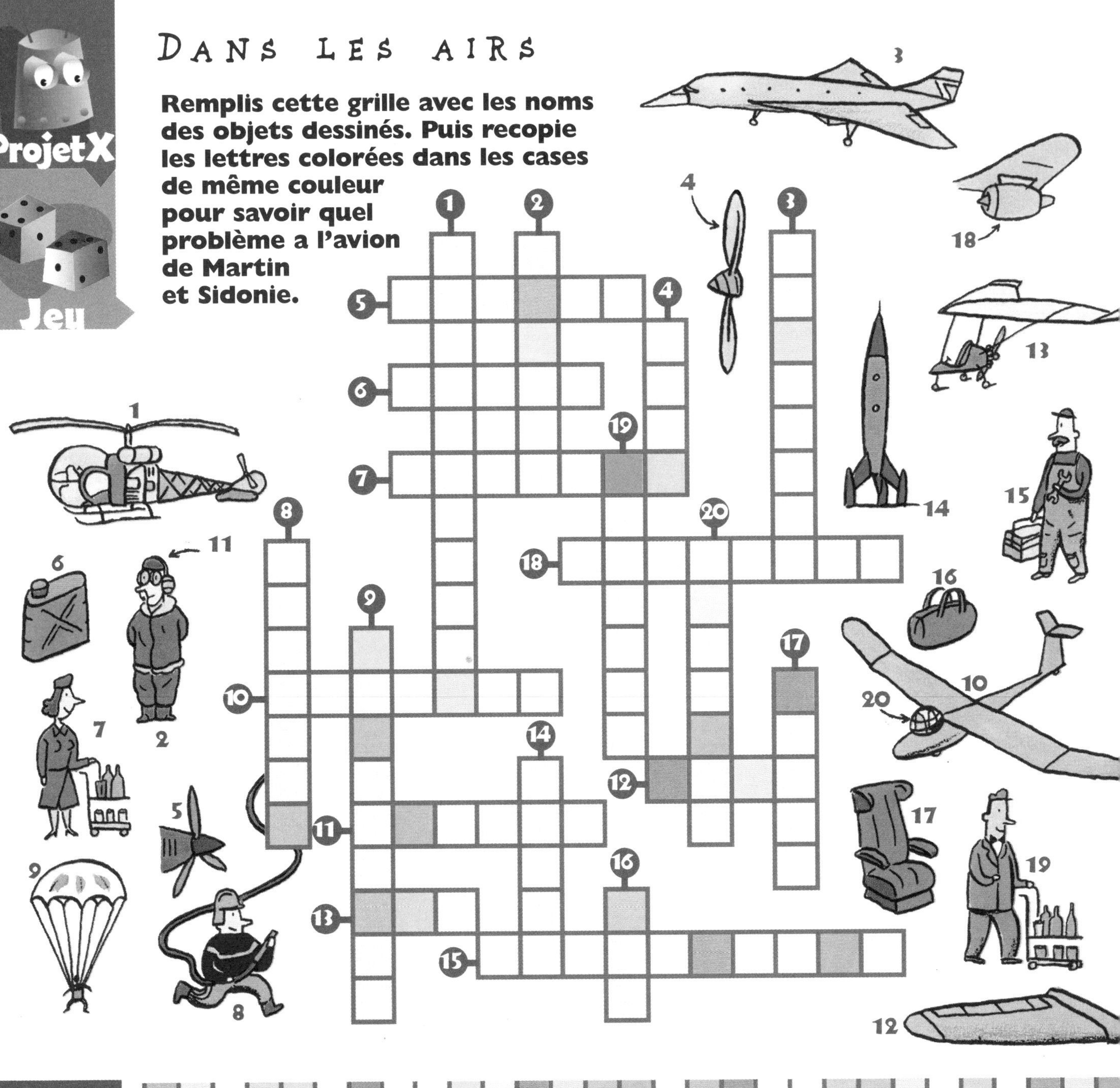

DANS LES AIRS

Remplis cette grille avec les noms des objets dessinés. Puis recopie les lettres colorées dans les cases de même couleur pour savoir quel problème a l'avion de Martin et Sidonie.

La carte des Katumanu

Trouve l'île de Tonton Gus en suivant ces instructions :

1. Trouve l'île qui a deux arbres identiques.
2. Trouve l'île volcanique qui a la même forme. Cette île contient un animal.
3. Trouve l'île qui contient le même animal.
4. Trouve l'île qui a exactement la même forme : c'est là que vit Tonton Gus.

LE GRAND SAUT

Une seule direction mène nos amis sur l'île.

1. Relie les points pour trouver où est l'île.
2. Ensuite, trouve quelle direction X-1 doit-il prendre pour y arriver : **A**, **B**, **C** ou **D** ?

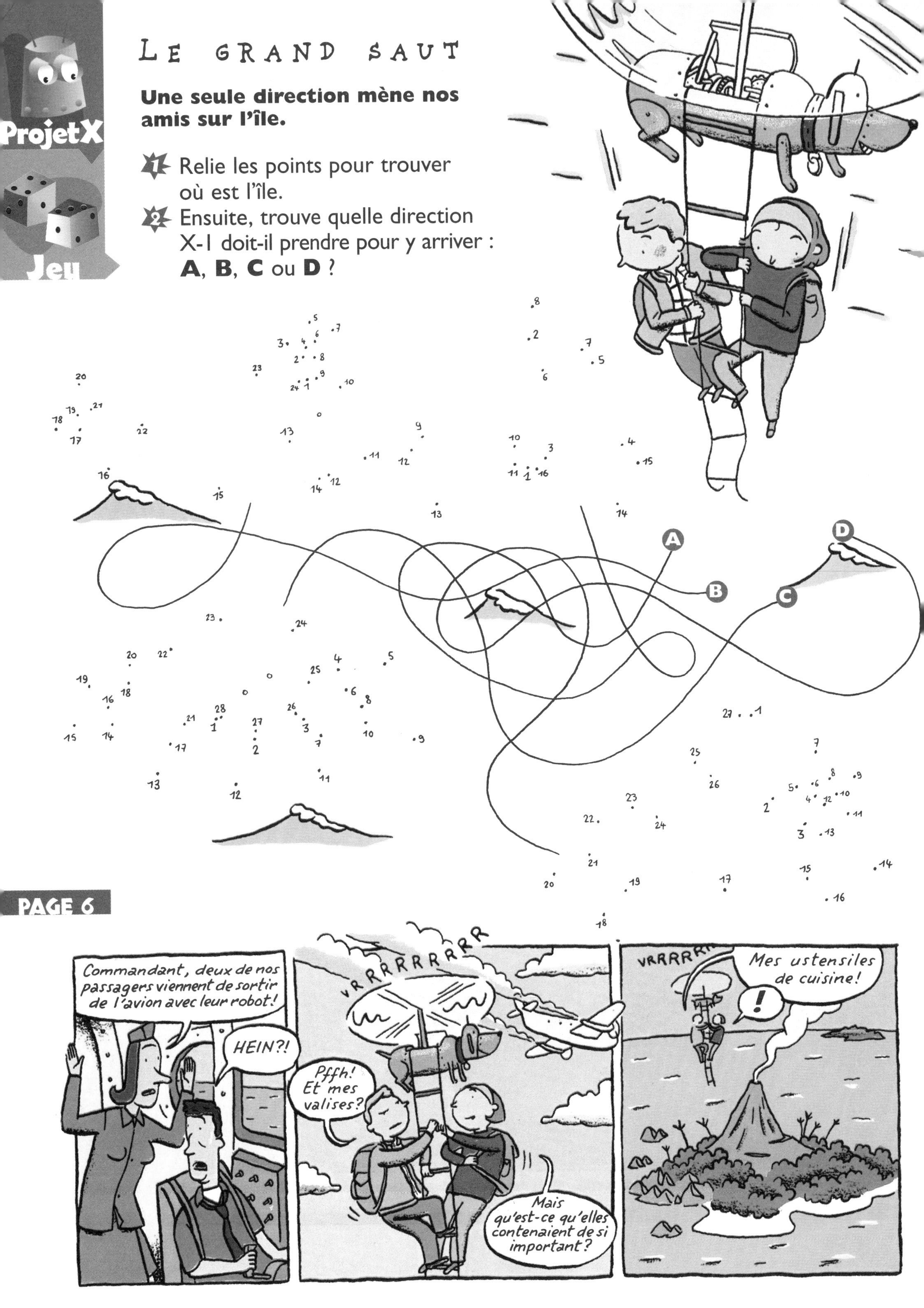

Cinq animaux sont cachés dans la jungle. Trouve-les.

Un seul chemin mène à la base.
Aide Martin et Sidonie à le trouver en évitant les pièges et les animaux sauvages.

LA BASE DE TONTON GUS.
Une seule porte de la base n'est pas piégée. Laquelle ?
ProjetX
Jeu
Il n'y a pas de sonnette.
Viens, c'est ouvert.
Snif... Snif...
Tonton Gus!?
...Gus ...us.
Snif... Snif...
Ah! Voilà quelqu'un!
X-1! Reviens!
CROUII
WOUUUUU!!

Le Dr Koléra

1 Raie dans la grille les mots de cette liste.

E	I	J	E	D	T	E	U	B
S	V	U	K	O	L	E	R	A
I	G	N	A	C	I	O	C	S
D	U	G	T	T	A	C	H	E
O	S	L	V	E	N	M	I	S
N	F	E	M	U	E	O	E	D
I	S	M	A	R	T	I	N	K
E	O	D	N	U	E	L	U	R
R	S	Z	U	O	A	E	L	C

Martin
Sidonie
Tache
chien
base
jungle
Katumanu
Koléra
île
Gus
docteur
SOS
liane

2 Utilise ensuite les lettres restantes pour trouver un message très important pour Martin et Sidonie.
Les lettres de la même couleur forment un mot : écris ici le message complet.

Il y a 20 objets qui commencent par la lettre T dans ce dessin. Trouve-les.

ProjetX

Jeu

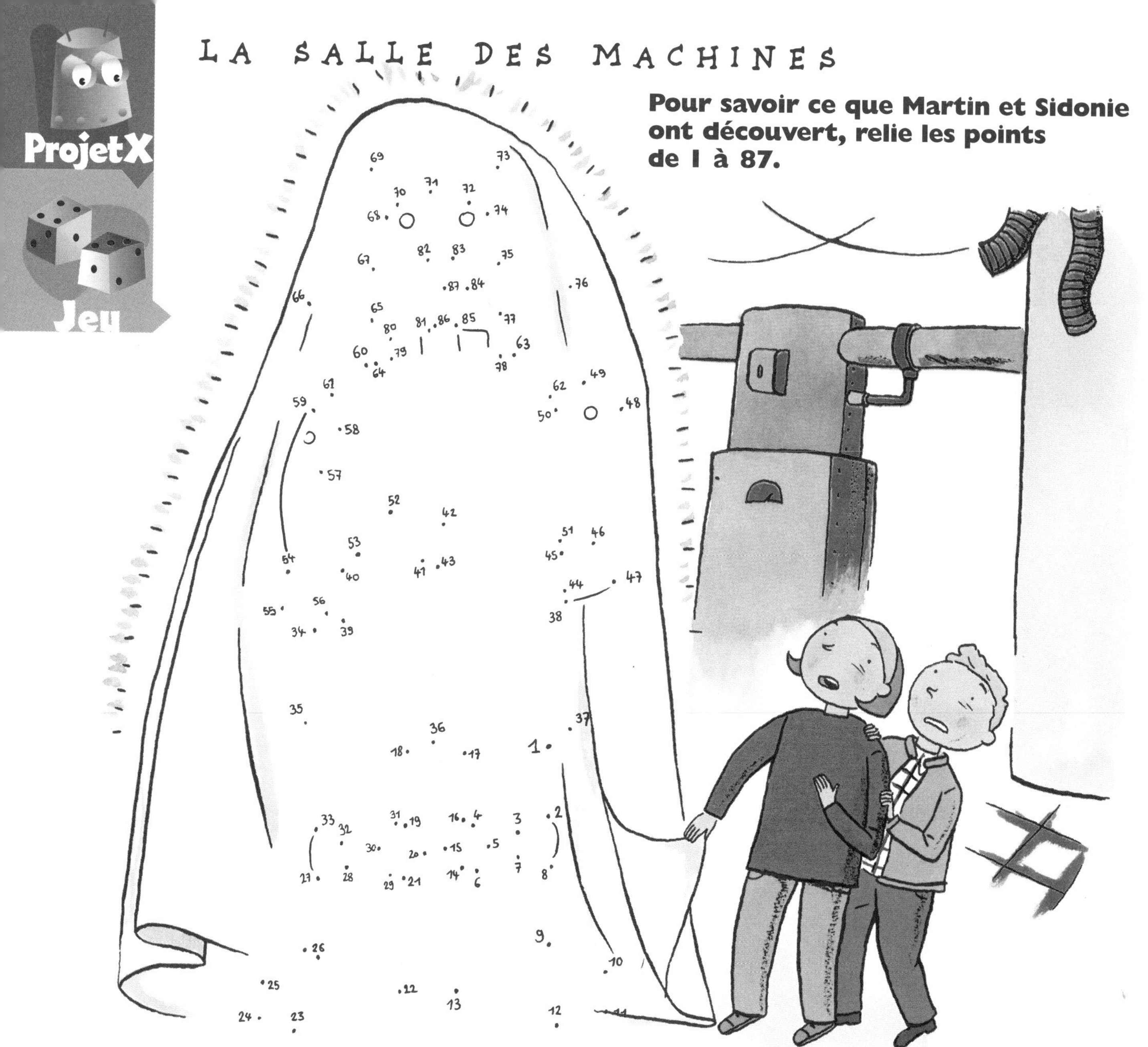

Pour savoir ce que Martin et Sidonie ont découvert, relie les points de 1 à 87.

Pourquoi tonton Gus est-il si bizarre ? Nos héros vont-ils s'en sortir ? **Vous le saurez en page 29.**

L'an 3000
jeux en
L'an 3000
Bonjour !
Je suis Balt-A-Zar,
et je vis en l'an 3000.
Tu viens jouer avec moi ?
J'habite dans un immeuble
jaune et noir. Il a des panneaux solaires,
trois antennes et une seule piste
d'atterrissage. Le vois-tu ?
PAGE 13

1. Voici ma chambre et celle de mon ancêtre Rémi, qui vivait au XXe siècle. Ne fais pas attention au désordre ! **Peux-tu trouver cinq éléments identiques dans les deux images ?**

2. Ma cuisine est certainement très différente de celle du XXe siècle ! **Pour connaître le petit déjeuner préparé par mon robot-cuisinier, écris dans sa grille les lettres en suivant les coordonnées indiquées.**

A	A2, A8, B2, C8, D1, D6, E5, E7	O	A3, B8
		P	C1, C7
C	B4, E4, G3, G5	R	A5, D7, E8, F2, G1
D	E1, E9	S	B1, B6, B7, D10, E10
E	C2, D9, E2, G2, G7	T	A6, C3, C5, F5
F	E6, F1	U	A4, A9, B3, D2, F3
I	B5, C4, C9, F4	V	D8
L	D5, G6	X	D3
N	B9, C10	Y	A1, G4

PAGE 14

3. Pour savoir ce qui m'arrive, colorie les cases selon ce code.
*** bleu ○ rouge × vert**

4. Pour me rendre à l'école, j'utilise un véhicule très pratique.
C'est celui qui n'est dessiné qu'une fois dans cette image : **trouve-le !**

5. Il y a **10 différences** entre ces deux images de ma classe. **Lesquelles ?**

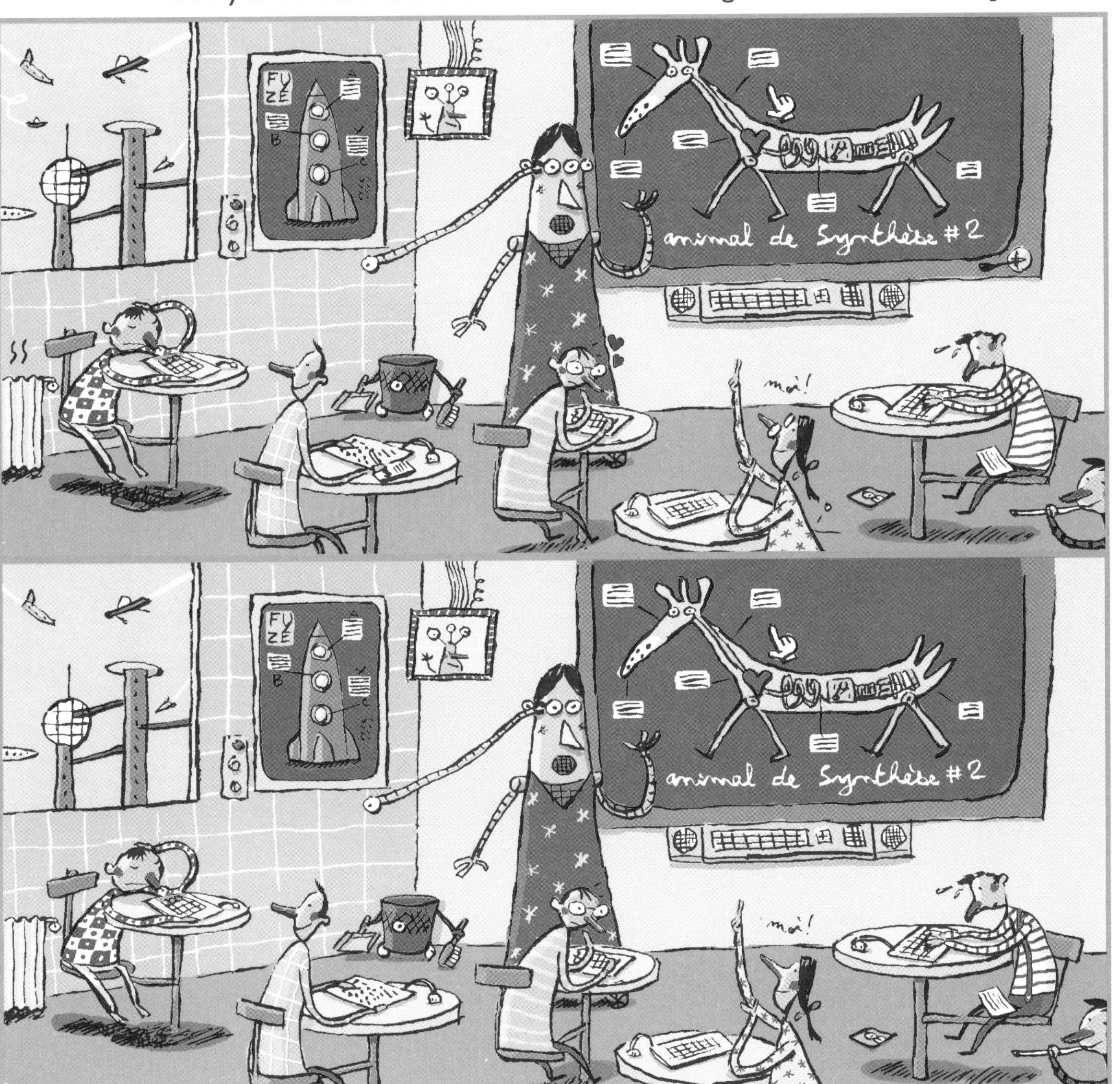

Trouve la personne qui a un habit à carreaux, un chapeau et qui ne porte aucun vêtement vert.
CAPITAINE STAR
CRÊPES
laaa laaa laaa
TCHOC!
ha ha
PAGE 16

de la vie sur EZPOR!
J joue plus.
NEWS

Test ▸ Quel métier pourrais-t

En l'an 3000, il y a des tas de métiers qui n'existaient pas au XXe siècle : professeur de microcuisine, testeur de soucoupe ou ministre des relations extra-terrestres...
À toi de faire ce test pour savoir quel genre de métier tu ferais si tu vivais à mon époque.

1 Tu voudrais prendre ton petit déjeuner...

en discutant avec quelqu'un.
en dégustant les recettes délicieuses inventées par ton robot-cuisinier.
tous les matins devant un paysage différent.

2 Pour aller travailler, tu devrais...

allumer l'ordinateur placé dans ton laboratoire.
prendre une fusée interstellaire.
rencontrer des gens venus de l'univers entier.

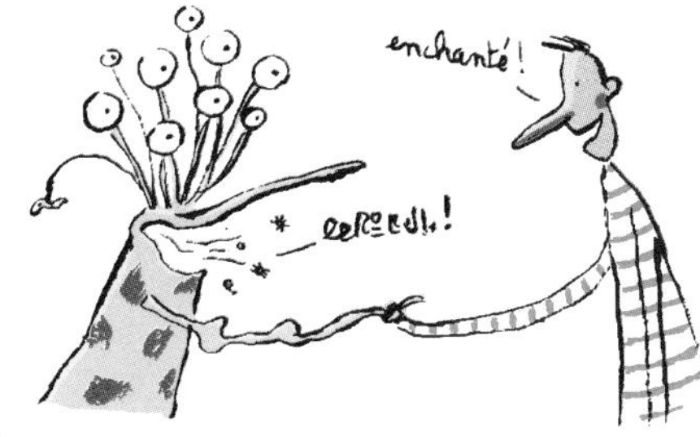

3 La pire catastrophe qui pourrait t'arriver serait :

une panne de fusée à des millions de kilomètres de la Terre.
te tromper de mot en parlant à un extra-terrestre et l'insulter par erreur.
faire une erreur de calcul qui fasse rater une expérience.

4 L'ustensile le plus utile pour ton travail serait :

un stylo pour noter tes idées d'inventions.
un pistolet-laser pour te défendre contre les monstres de l'espace.
un dictionnaire français-vénusien-jupitérien.

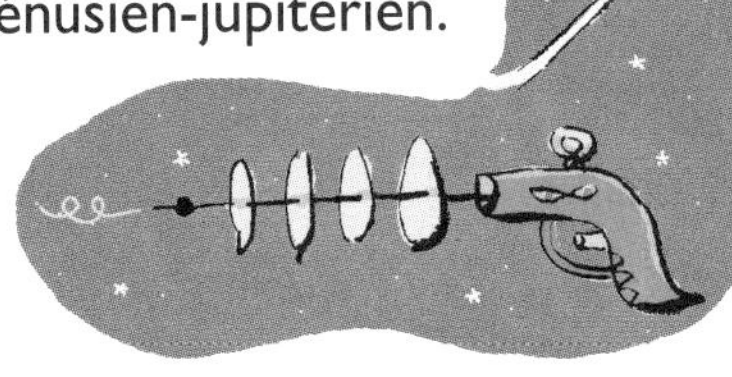

5 Tu voudrais devenir célèbre...

pour avoir négocié un traité de paix entre la Terre et Saturne.
pour avoir découvert une nouvelle planète.
pour avoir trouvé une nouvelle loi mathématique.

6 Si tu choisissais ton surnom, ce serait :

l'as des étoiles.
l'homme (ou la femme) le (la) plus sympa de la Terre.
professeur Cerveau.

aire en l'an 3000 ?

Pour te distraire après ton travail...

tu irais au restaurant goûter des spécialités de l'univers entier.
tu lirais un bon livre de science-fiction.
tu irais essayer les nouveaux jeux en 3-D à Disneyland-Lune.

Ta devise pourrait être :

"Dans l'espace, il faut être prêt à tout."
"Tout problème a sa solution, ce qui est rigolo, c'est de la chercher !"
"Il faut apprécier les gens comme ils sont."

Compte les , les et les

Tu as plus de

Pilote d'astronef

Tu aimes l'action, le changement, les découvertes et l'aventure ! Ce métier est fait pour toi. Aux commandes de ton vaisseau spatial, tu iras à la découverte de planètes inconnues et d'extra-terrestres bizarres. N'oublie pas de rapporter un souvenir à tes amis !

Tu as plus de

Interprète extra-terrestre

Plus que voyager, tu aimes rencontrer des gens, écouter toutes leurs histoires fabuleuses et leur parler de ta planète. Pour faire ce métier, il faut être doué en langues et ne pas avoir peur des autres ! Tu découvriras certainement que même les extra-terrestres les plus étranges peuvent devenir des amis.

Tu as plus de

Savant

En l'an 3000, la science aura beaucoup progressé, mais il y aura encore plus de questions sans réponses pour les savants. Pourquoi le soleil de Bételgeuse sent-il le poisson ? Pourquoi les habitants de Vega éternuent-ils quand il fait nuit ? Comment faire comprendre à un robot-ménager qu'il ne faut pas cirer les espadrilles ? À toi de percer les secrets de l'univers !

Pour connaître la mission de ce vaisseau spatial, lis les lettres qui l'entourent en ne lisant qu'une lettre sur deux. **Attention ! Il faut commencer par la bonne lettre !**

Joue avec NOÉ et les ANIMAUX du MONDE

Avec tous ces animaux, je suis débordé ! Donne-moi donc un coup de main en faisant ces quelques jeux.

Tous les animaux sont venus en couple, sauf un : **lequel ?**

1. Relie chaque animal à son cousin.

2. Relie les points de 1 à 43 et tu sauras pourquoi l'arche penche de ce côté.

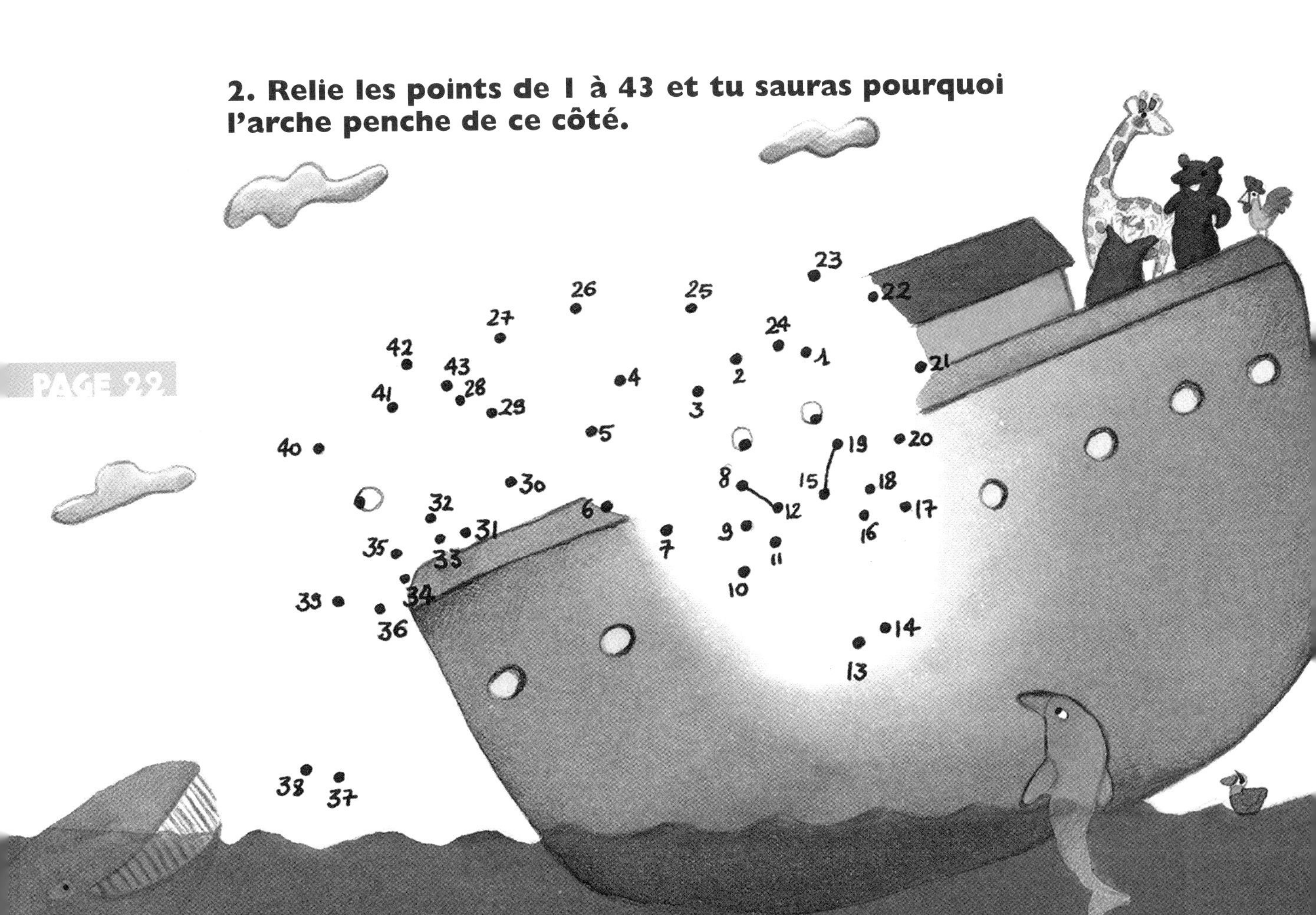

Noé
3. Quel singe est le plus vieux ? Lis toutes leurs bulles pour le savoir.
Le chimpanzé est plus vieux que le babouin.
Je suis le plus jeune.
Le gorille est né deux ans après le babouin.
J'ai trois ans d'écart avec le babouin.
Je suis plus vieux que le ouistiti.
Gorille
Orang outan
Babouin
Chimpanzé
Ouistiti
4. Où Noé doit-il mettre ces trois animaux ?
Dans chaque pièce, il doit y avoir des reptiles, des mammifères et des oiseaux. De plus, le nombre de mammifères doit être égal au nombre de reptiles plus le nombre d'oiseaux.
a
b
c
PAGE 23
1
lion
chauve-souris
chien
hérisson
corbeau
lézard
serpent
2
rat
tortue
singe
caméléon
héron
3
loup
ours
aigle

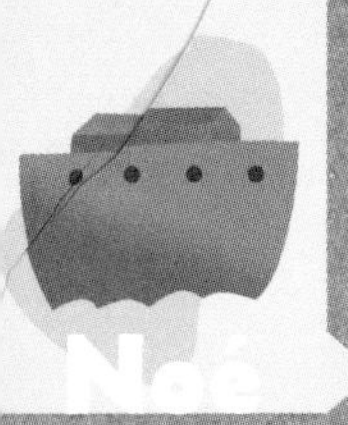

15 animaux dont le nom commence par C sont dans ce dessin. Trouve-les.

Connais-tu les animaux ?

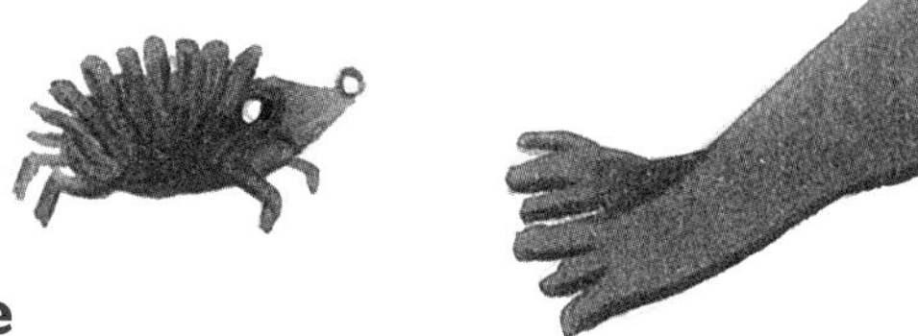

Pour chaque question, coche la réponse que tu estimes être la bonne. Puis regarde les solutions.

1 Une salamandre est :
a une sorte de lézard noir et jaune.
b un petit oiseau très coloré.
c la femelle du salamanger.

2 De ces trois animaux, lequel est le plus rapide ?
a L'autruche.
b Le guépard.
c Le taureau.

3 Le plus gros mammifère est :
a l'éléphant d'Afrique.
b la baleine bleue.
c la baleine à bosse.

4 Le premier animal domestiqué par l'homme a été :
a le cheval.
b le mouton.
c le chien.

5 Un marsupial est un mammifère qui :
a pond des œufs.
b piaille.
c met ses petits dans une poche.

6 Lequel de ces animaux a le sang chaud ?
a La chauve-souris.
b La tortue.
c Le varan.

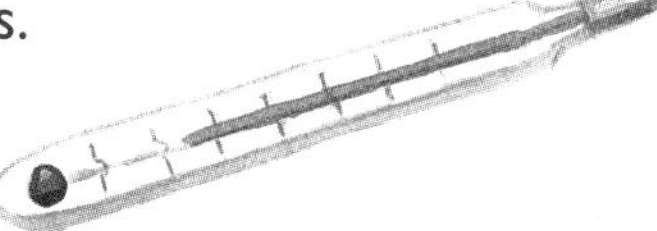

7 Dans quel groupe y a-t-il le plus d'animaux ?
a Les poissons.
b Les mammifères.
c Les insectes.

8 Quel animal ne vit pas en Europe ?
a Le castor.
b Le coyote.
c L'aigle.

9 Lequel de ces trois animaux peut vivre plus de 80 ans ?
a La baleine.
b Le gorille.
c L'escargot.

10 Lequel de ces animaux n'est pas menacé d'extinction ?
a Le renne.
b Le tigre.
c L'éléphant.

PAGE 26

11 Quel produit ne vient pas d'un animal ?

a La laine.
b Le coton.
c Le caviar.

12 Quel singe est le plus proche de l'homme ?

a Le chimpanzé.
b Le gorille.
c L'orang-outan.

13 À quoi servent les branchies d'un poisson ?

a À respirer.
b À faire du bruit.
c À nager.

14 Quel animal ne vit pas en bandes ?

a Le babouin.
b Le loup.
c Le puma.

Solution :

1a, 2b, 3b, 4c, 5c, 6a, 7c, 8b, 9a, 10a, 11b, 12a, 13a, 14c

Marque un point par solution.

► 11 points et plus

Tu es un vrai expert en animaux. Bravo !
Tu as peut-être envie de devenir zoologiste ou vétérinaire pour les étudier.
En tout cas, tu t'intéresses sûrement beaucoup à la nature.

► de 6 à 10 points

Tu sais pas mal de choses sur les animaux, mais tu peux encore faire des progrès.
Lis des livres, regarde des reportages et observe la nature.

► 5 points et moins

Tu as encore beaucoup de choses à apprendre sur les animaux.
S'il y a un zoo près de chez toi, demande à tes parents de t'y emmener, tu verras, c'est passionnant.

1. Que dit la colombe ? Pour le savoir, enlève de son texte toutes les lettres qui sont écrites trois fois ou plus.

2. Il y a déjà trois animaux dans cette île. Les vois-tu ?

Le projet X

2e partie

ProjetX

Jeu

1 2 3 4 5 6

Retrouve ces six détails dans l'image.

Suite de la page 12

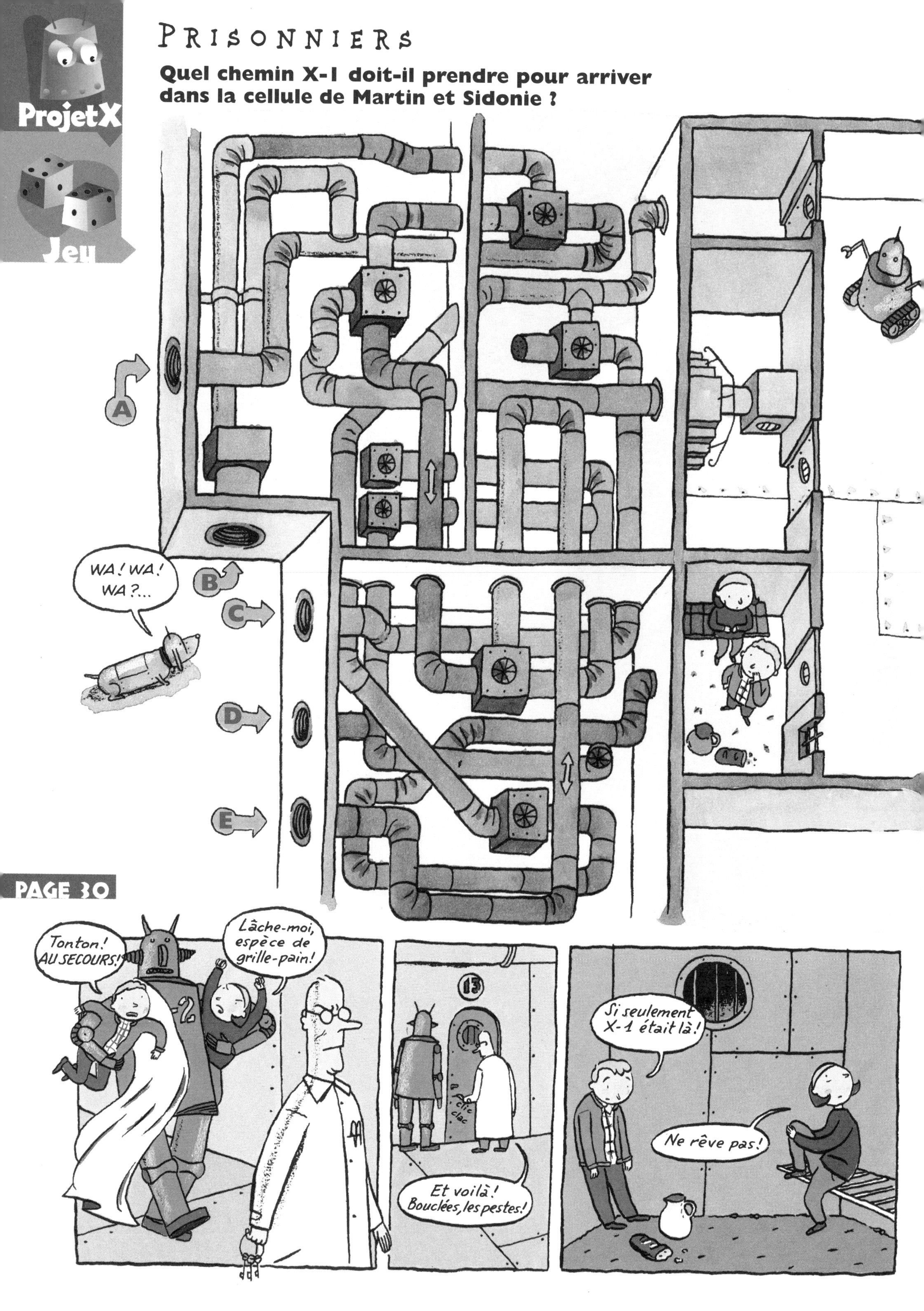
ProjetX
Jeu
PRISONNIERS
Quel chemin X-1 doit-il prendre pour arriver dans la cellule de Martin et Sidonie ?
A
B
C
D
E
WA! WA! WA?...
PAGE 30
Tonton! AU SECOURS!
Lâche-moi, espèce de grille-pain!
13
clic clac
Et voilà! Bouclées, les pestes!
Si seulement X-1 était là!
Ne rêve pas!

UN MESSAGE DE TONTON GUS

Le message de Tonton Gus est codé.
Déchiffre-le en t'aidant des deux mots déjà décodés par Sidonie.

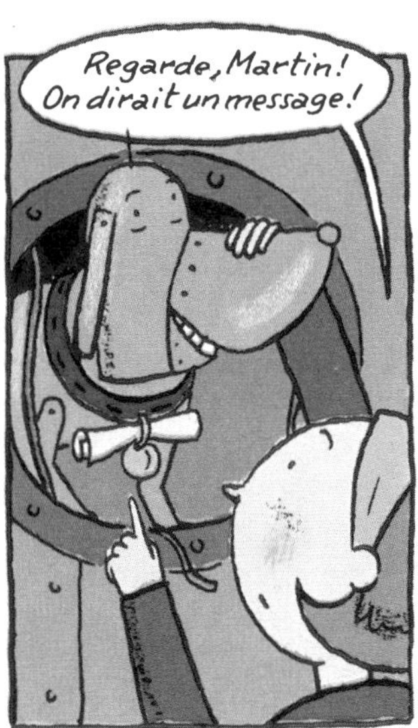

LE CHIEN MIRACLE

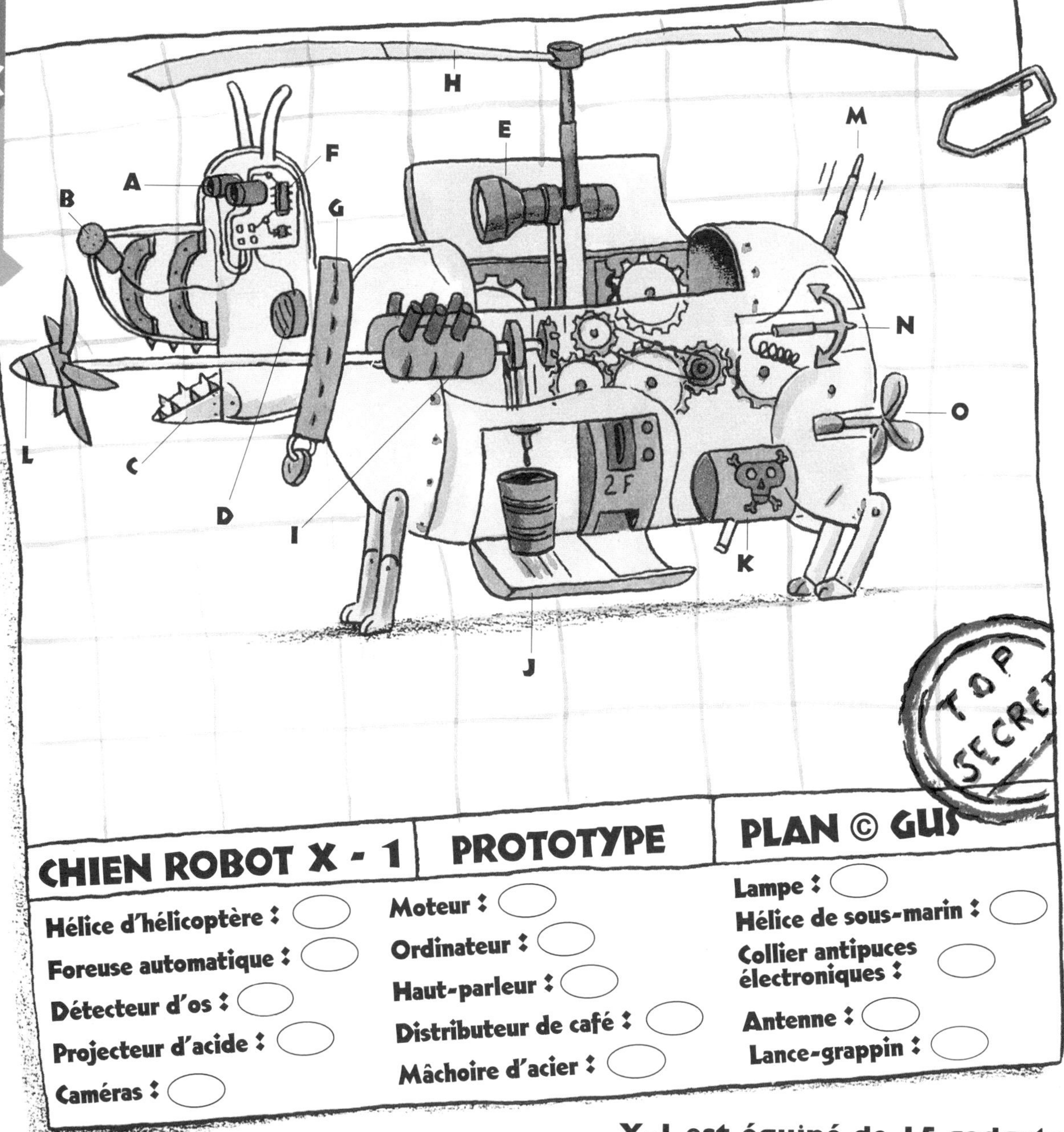

X-1 est équipé de 15 gadgets.
Écris à côté de chaque nom la lettre qui correspond.

DANS LE TUNNEL

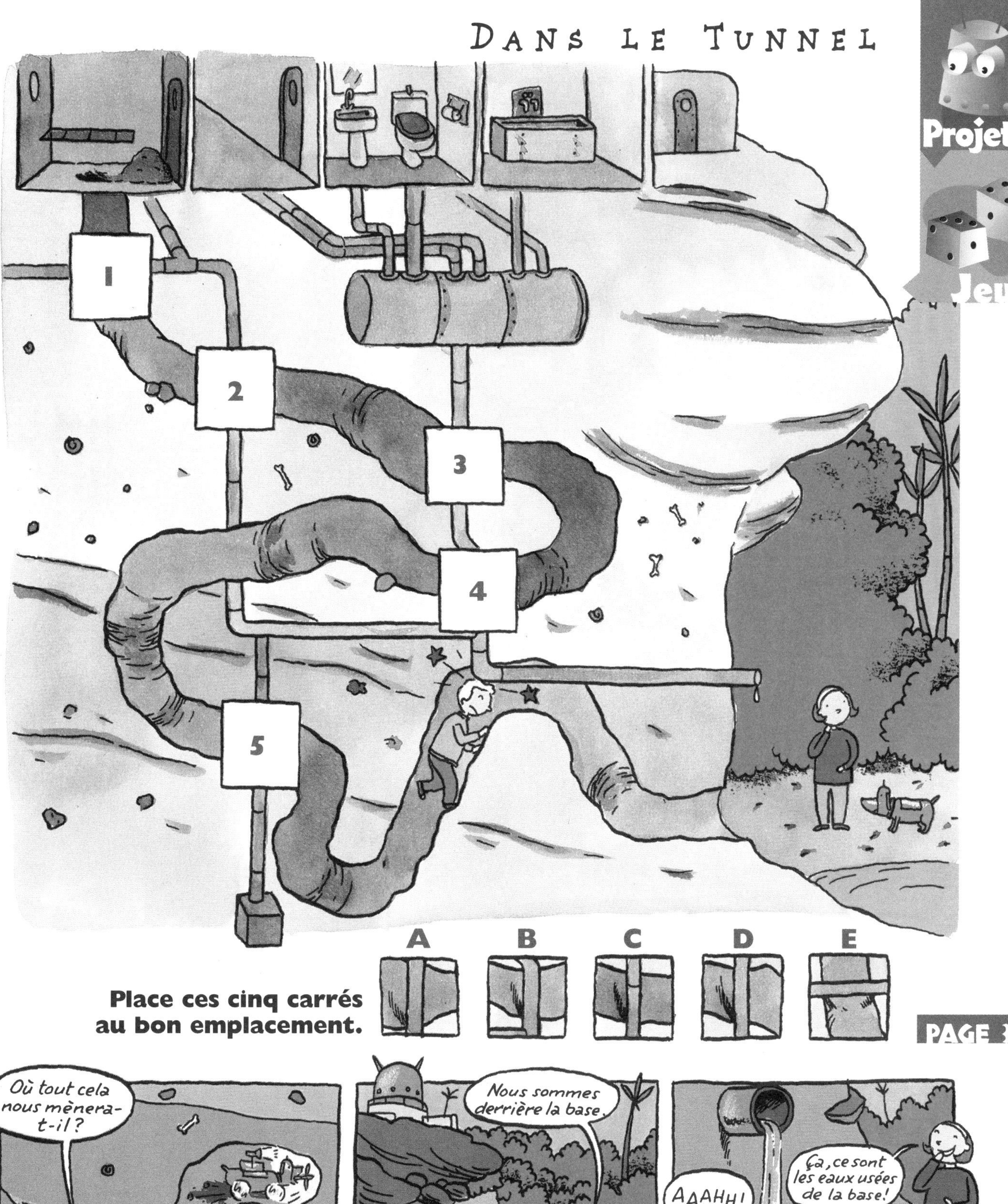

Place ces cinq carrés au bon emplacement.

ProjetX

Jeu

LE LABORATOIRE

Quelle invention est au milieu du laboratoire ?
Pour le savoir, relie les points bleus de 1 à 93.

L'usine à robots

Il y a 15 différences entre nos amis et leurs doubles électroniques. Trouve-les.

POURSUITE DANS LA BASE

PAGE 36

Trouve le chemin qui permet de sortir de la base en évitant Koléra, ses robots et ses pièges.
Attention ! Pour ouvrir une porte, il faut d'abord passer sur la clé de la même couleur.
ProjetX
Jeu
X-2
Arrivée

Qui ose me déranger ?
TOC ! TOC !

Que... QUOI ?!

Mais alors...
SAUVE QUI PEUT !

Le Désintégreur Définitif

Qu'est-ce que le terrible Désintégreur Définitif ?

Pour le savoir, recopie les lettres des grilles A et B sur la grille C en suivant ces instructions :

- S'il y a une lettre rouge et une bleue, recopie la lettre rouge sur la grille C.
- S'il y a une lettre bleue et une verte, recopie la lettre bleue sur la grille C.
- S'il y a une lettre verte et une rouge, recopie la lettre verte sur la grille C.
- S'il y a deux lettres de la même couleur, laisse la case en blanc sur la grille C.

A

B

C

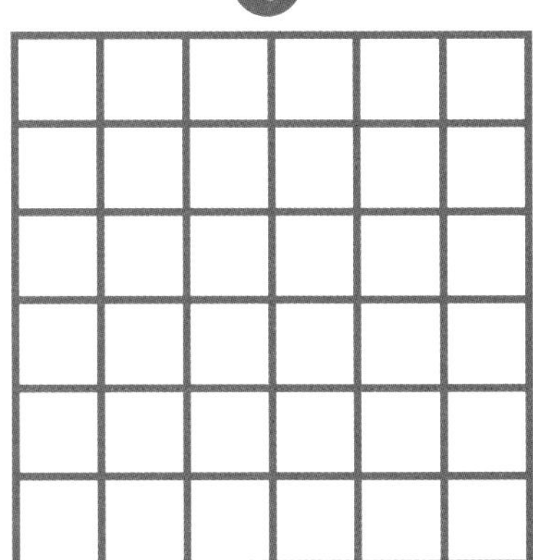

Koléra va-t-il capturer nos amis ? Sauveront-ils Tonton Gus ?
Lis la suite page 55.

Top Secret
LES JEUX DE
L'AGENT SECRET
009
Bonjour !
Je suis l'agent secret 009.
Je n'ai pas beaucoup
de temps pour le moment,
mais je vais quand même
jouer un peu avec toi !
Pour détruire cet hélico,
je dois toucher son point sensible.
C'est un de ces cinq détails ;
lequel se trouve sur
cet hélicoptère ?
009

2. Barre dans cette grille toutes les lettres qui ne sont pas à côté d'une lettre de la même couleur.
Avec les lettres qui restent, tu pourras lire ma mission.

PAGE 40

3. Sur ce message, seule la première lettre de chaque mot est bien placée. Les autres lettres sont dans le désordre. **Peux-tu le décoder ?**

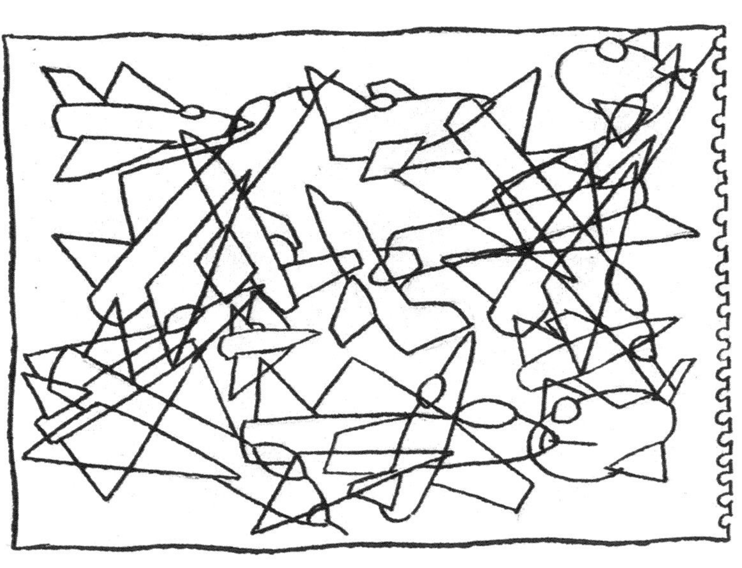

4. Combien d'avions comme celui-ci comptes-tu dans ce plan codé ?

5. Suis les instructions en partant de la flèche pour trouver l'emplacement de la base ennemie.
Attention ! La droite et la gauche sont toujours indiquées par rapport à la direction que tu prends.

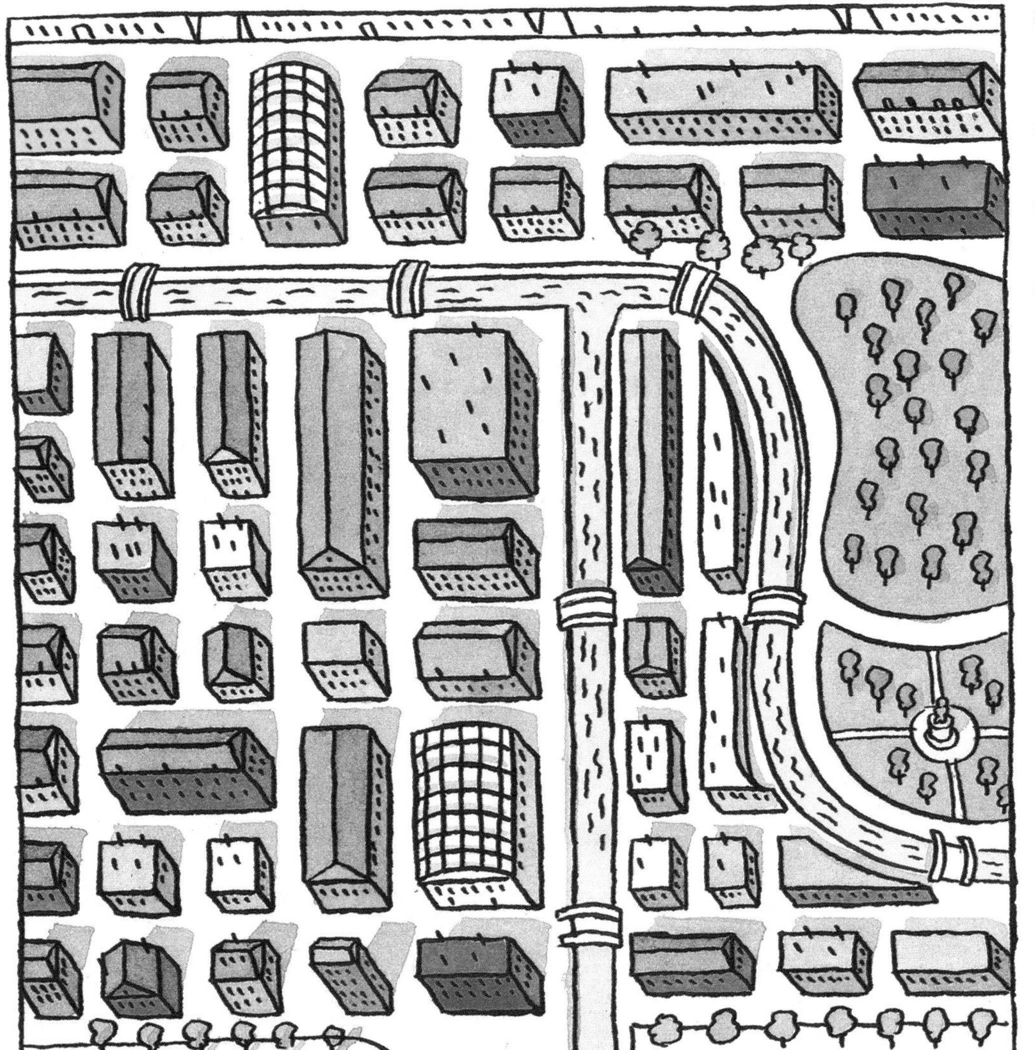

1. Avance tout droit. Tourne à droite après l'immeuble rouge.
2. Tourne la première à droite.
3. Prends la première à gauche.
4. Traverse le deuxième pont sur ta gauche.
5. Passe entre les deux immeubles gris.

6. Au bout de la rue tourne à gauche.
7. Tourne à gauche après l'immeuble bleu.
8. Traverse le pont.
9. Longe le fleuve sur ta droite.
10. Traverse le pont.
11. La base est en face du premier immeuble rouge.

1 **Relie les points dans l'ordre des numéros pour savoir quels engins sont sur le toit.**

2 **Trouve par quelle porte il faut entrer pour monter jusqu'à l'avion.**

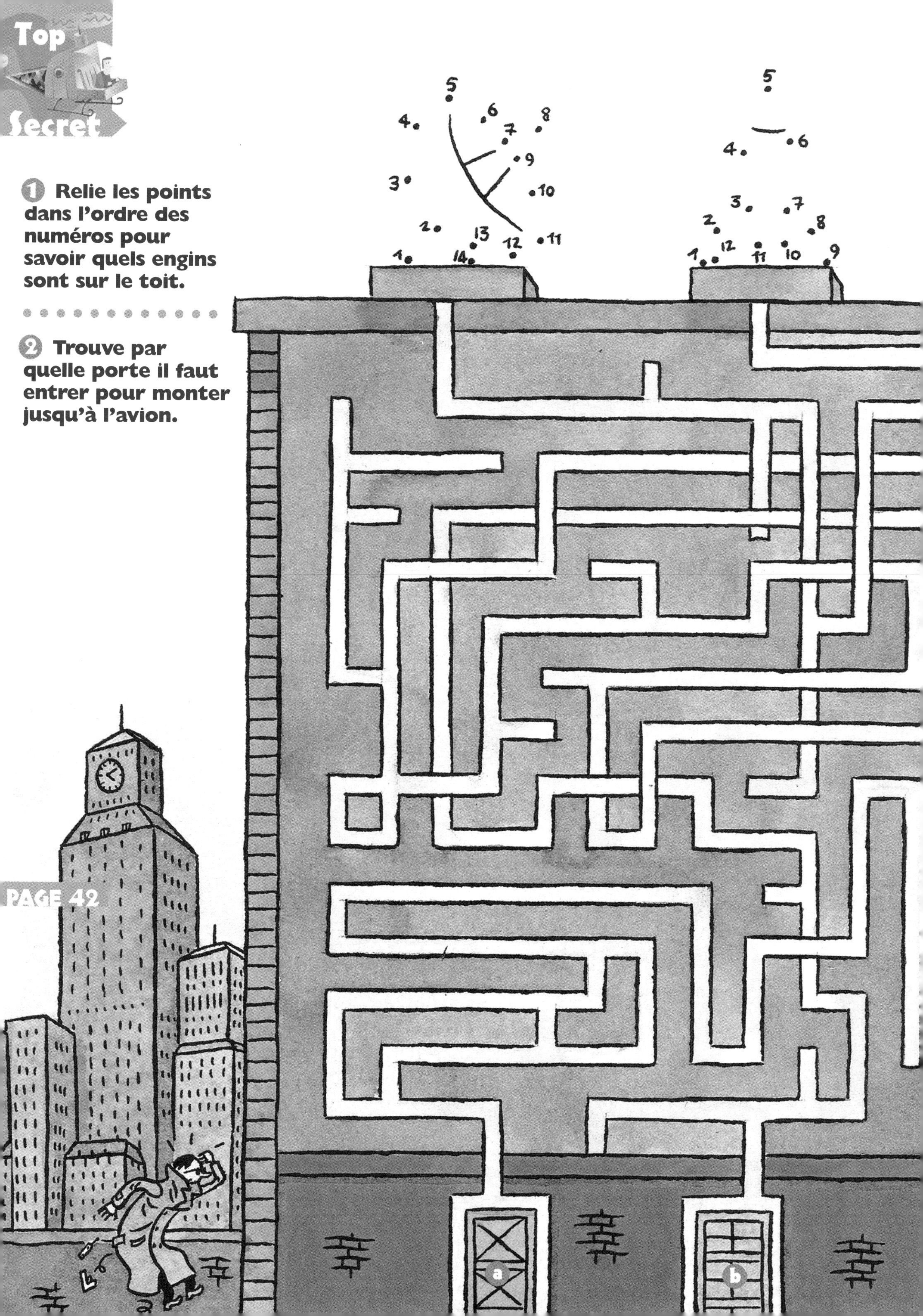

Top Secret
c
d

Test Serais-tu un bon

Pour chaque question, choisis la réponse qui te convient le mieux. Puis regarde les solutions.

1 Tu es poursuivi par des agents ennemis dans la rue. Que fais-tu ?
◗ Tu entres dans un grand magasin pour les semer.
▼ Tu leur tires dessus avec ton pistolet.
◆ Tu vas voir la police.

2 Tu es abandonné dans un avion sans pilote :
◗ Tu essaies de piloter l'appareil.
▼ Tu sautes en parachute.
◆ Tu appelles ta base avec la radio.

3 Tu es prisonnier des ennemis :
◗ Tu assommes un gardien et tu lui prends son uniforme pour t'évader.
▼ Tu leur donnes de fausses informations pour faire échouer leurs plans.
◆ Tu attends qu'un agent ami vienne te délivrer.

4 Pour ta voiture, tu choisis comme gadget :
◗ un appareil à fabriquer du brouillard pour la dissimuler.
▼ des ailes dépliantes pour la transformer en avion.
◆ un épais blindage pour résister aux balles de l'ennemi.

5 La mission qui te plairait le plus, c'est :
◗ voler des plans top secrets dans une base ennemie.
▼ délivrer un otage prisonnier de terroristes.
◆ escorter un top-modèle pendant son séjour dans la capitale.

espion ?

6 Si tes amis te parlaient de ton travail :

◗ tu leur ferais croire que tu travailles dans une compagnie aérienne.
▼ tu leur expliquerais que c'est un secret.
◆ tu leur raconterais seulement les missions que tu as réussies.

7 Pour toi, un espion doit avant tout aimer :

◗ le secret.
▼ l'action.
◆ les voyages.

8 Ce qui peut arriver de pire à un espion, c'est :

◗ d'être démasqué.
▼ de rater une mission.
◆ de se casser une jambe.

Solutions :

Compte deux points par réponse ◗, un point par réponse ▼ et zéro point par réponse ◆. Fais le total.

► 12 points et plus

Bravo ! Tu as tout pour faire un espion.
Tu aimes l'action, tu n'as pas froid aux yeux, et surtout, tu es très discret. En effet, pour réussir dans ce métier, il ne faut jamais se faire prendre.

► De 6 à 11 points

Tu pourrais peut-être devenir espion.
Mais même si tu es très fort pour les missions pleines de dangers, tu devras faire attention à ne pas être repéré, sinon tu ne resteras pas agent secret très longtemps.

► 5 points et moins

Aïe ! Tu n'as pas le profil de l'agent 009.
Tu n'as pas l'air d'aimer les risques, ni la discrétion. Heureusement pour toi, il existe beaucoup de métiers plus calmes que celui d'espion !

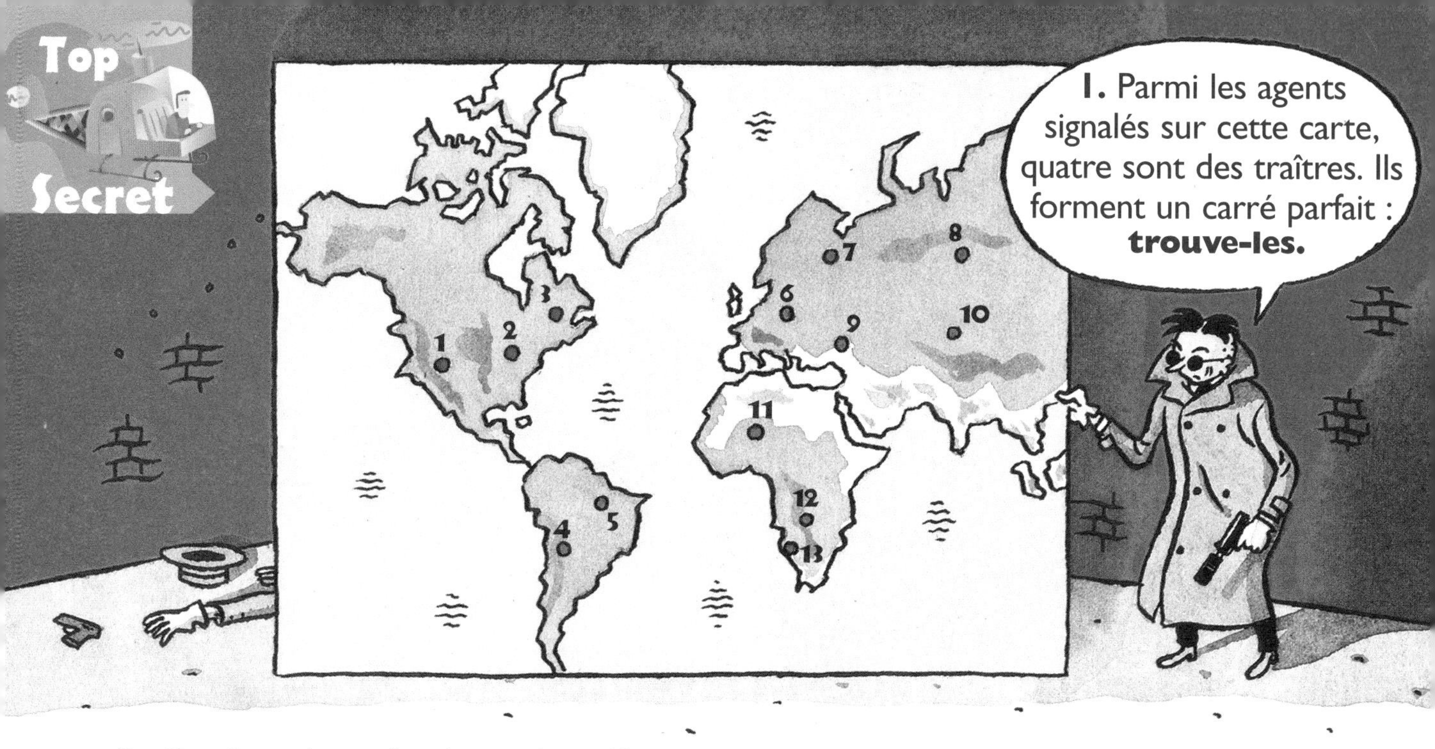

2. Quel espion vient en cinquième dans ce groupe : Jim, Karl ou Ed ?

3. Quelle silhouette correspond à cet espion ?

Les Jeux ABOMINABLES
Horreur !
Bonne nuit ! Je suis Loulou Garou ! Si tu n'as pas peur des créatures de la nuit, viens partager avec nous ces jeux vraiment monstrueux !
Je suis Jo Logre. Mon ami a un pantalon, il n'a pas de sang sur lui et il y a 2 « n » dans son nom. Trouve-le.
Moi, c'est Roger Lécros!
Je suis Thomas Sacreur!
Félicie Metière!
Je suis Yvan Pire!
Je suis Raymond Strueux!
Nestor Boyot!
Je suis Roland Terrement!
J'étais Franck Einstein!
Nicolas Sassin!
Son frère Albert!
Je suis Dédé Kapité!

1. Quel assortiment le docteur Brankenstein doit-il choisir pour faire un monstre ?

2. Pour savoir en quoi le vampire peut se transformer, écris les noms de ces créatures dans la grille puis lis la colonne verte.

3. Tu es dans la cave du château de Dracula. Plusieurs chemins vont de l'entrée à la sortie, mais un seul te permettra, en passant sur les 8 bonnes lettres, de trouver le nom d'un objet qui fait fuir le vampire !

Horreur!
Malédiction !
Les bulles ont été mélangées !
Retrouve ce que dit chaque personnage.
ON EST DANS DE BEAUX DRAPS!
SUPER! J'AI UNE SOIF DE PENDU!
FRANCK, VOUS ME FAITES UN EFFET MONSTRE!
TE REGARDER, ÇA ME DONNE LES CROCS!
ÇA S'APPELLE AVOIR UNE FAIM DE LOUP!
PAGE 50
J'AI PEUR DES FANTÔMES!
FAIS GAFFE, JE SUIS UN SANGUIN!

Horreur !
GOÛTE ÇA, C'EST UN TRUC À RÉVEILLER LES MORTS!
H
LES BRAS M'EN TOMBENT!
K
IL A RIEN DANS LE CRÂNE!
L
IL EST VRAIMENT MORDU!
M
8
11
12
13
J
JE VOUS AIME BEAU COU!
DÉJÀ MINUIT! JE SUIS MORT DE FATIGUE!
I
JE CROIS QUE VOUS AVEZ UNE DENT CONTRE MOI?
N
IL YA UN OS!
O
9
10
14
15

Horreur !

La chasse aux vampires

Le chasseur de vampires, c'est toi !
Entre dans le château du comte Draculin, passe les portes, monte et descends les escaliers… Quand tu arrives sur un numéro, lis le paragraphe qui correspond.
• ***La feuille de chasseur de vampires :*** quand tu trouves un objet, fais une croix dans la case correspondante.
Si tu perds du sang, raie autant de gouttes qu'indiqué.

1 Si tu ouvres cette trappe, lis 14.

2 Tu trouves une clé en fer.

3 Pour ouvrir cette porte, il te faut une clé en fer. Si tu ouvres, lis 15.

4 Un vampire t'attaque ! Tu perds 2 gouttes.

5 Dans cette cuisine, tu trouves de l'ail. Grâce à lui, chaque fois que tu perds du sang, tu perds une goutte de moins.

6 Si tu as une corde, tu peux descendre dans ce puits. Dans ce cas, lis 16.

7 Cet escalier mène à la cave.

8 Tu trouves une potion. Si tu la bois, lis 17.

9 Dans le tas de bois, tu trouves un épieu.

10 Une vampiresse t'attaque. Sur la table, il y a une clé en or. Si tu fuis, tu perds 2 gouttes. Si tu prends la clé, tu perds 3 gouttes.

11 Une chauve-souris t'attaque ! Dans le grenier, il y a une corde. Si tu fuis, tu perds 1 goutte. Si tu prends la corde, tu perds 2 gouttes.

12 Pour ouvrir la grille, il te faut une clé en or.

13 Le cercueil s'ouvre et Draculin en sort ! Il t'enlève autant de gouttes que celles entourées sur sa feuille. Si tu es encore vivant, lis 18.

14 C'est un piège ! La hallebarde du chevalier te tombe dessus. Tu perds 2 gouttes.

15 Dans la pièce, il y a un très vieux prisonnier. Tu le délivres. Pour te remercier, il te donne un crucifix.

16 Tu arrives dans la crypte, en bas à gauche en 12.

17 La potion te rend toutes les gouttes de sang que tu as perdues. ***Attention !*** tu ne peux boire cette potion qu'une seule fois par partie.

18 Si tu as le crucifix, lis 19. Sinon, Draculin s'échappe. Ta mission a échoué, tu peux essayer à nouveau en recommençant au départ.

19 Tu obliges Draculin à se recoucher dans son cercueil. Si tu as l'épieu, lis 20. Sinon, tu peux t'enfuir en remontant par le puits.

20 Tu enfonces l'épieu dans le cœur du vampire et il meurt !
Bravo ! Tu as réussi ta mission.

• À chaque fois que tu perds une goutte de sang (💧), entoures-en une sur ***la feuille du vampire.*** Quand tu as perdu tes cinq gouttes de sang, tu es mort : Efface tout et recommence au départ. **Bonne chasse !**

1. Voici l'arbre généalogique de la famille Logre.
Les parents sont en bas et leurs enfants au-dessus d'eux.
Retrouve le prénom de chacun sachant que :

2. Pour savoir ce que disent ces deux vampires, fais ces rébus.

Le projet X

3e partie

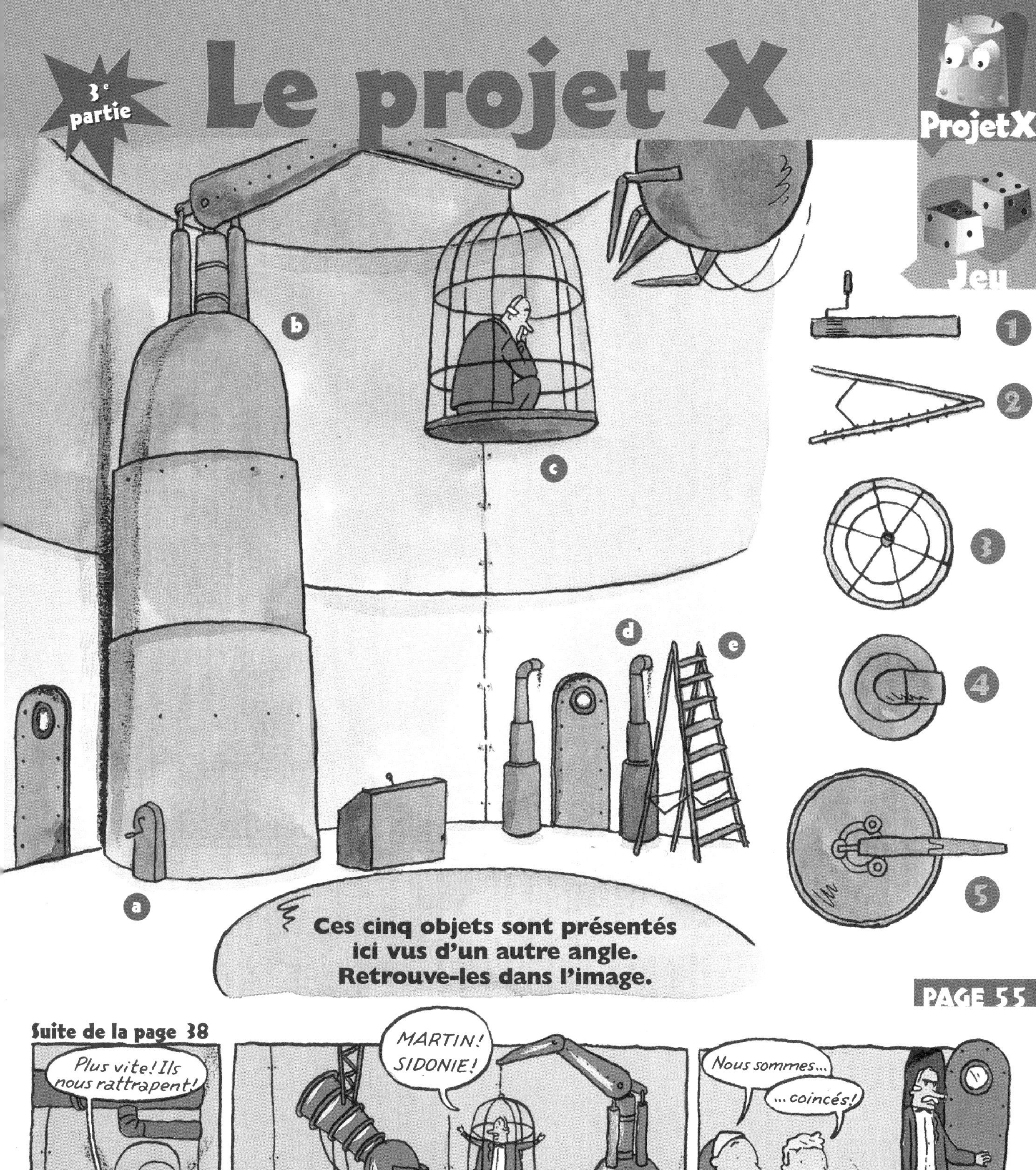

Ces cinq objets sont présentés ici vus d'un autre angle. Retrouve-les dans l'image.

Suite de la page 38

Gus Prisonnier

Pour savoir ce que fait X-1, écris les mots dans les emplacements qui portent le même numéro, puis lis la phrase écrite dans les cases jaunes.

PAGE 56

LES ROBOTS ATTAQUENT

Quel robot est le plus fort ?
Pour le savoir, lis toutes leurs déclarations.

ProjetX
Jeu

PAGE 57

Le sauvetage

Dans quel sens X-1 doit-il tourner la manivelle pour faire descendre la chaîne : A ou B ?

Trouve les 10 différences entre ces deux images.

ProjetX
Jeu
LA FIN DES ROBOTS
Avec les restes des robots désintégrés, il est possible de fabriquer un autre robot. Lequel ?
a
b
c
d
PAGE 60
QUE...?!
CLAC!
GRRR!
Aidez-moi, les enfants !
Pif !
OH ! C'est un robot !

Retrouve ces six détails dans l'image.

ProjetX
Jeu
QUI VEUT UNE GLACE ?
Devine les mots qui manquent dans chaque bulle. Écris ensuite ces mots dans la grille et tu pourras lire ce que vont faire les héros.
5 veux de 1 crème 4
8 2 est excellente !
Tout de 3 !
Ce 7 6 vraiment doué !
1
2
3
4
5
6
7
8
PAGE 62
Deux jours plus tard...
Les enfants, j'ai remis Koléra en marche !
Quoi? Tu es fou !
Oh ! Rassurez-vous ! J'ai beaucoup modifié son programme !
BIP !
Je l'ai transformé en simple robot-ménager !
Les-glaces-sont-prêtes !
FIN

Solutions des jeux

Projet X

Première partie

page 2 Roue carrée de la voiture, pot de fleurs à l'envers, gouttière séparée en deux, panneau dans le mauvais sens, pédalier du vélo à l'envers, escalier qui donne sur une rambarde, fenêtre à gauche avec un seul volet, gâteaux dans la boucherie, deux maisons avec le numéro 12, fenêtre dans la cheminée de la boucherie, fenêtre à l'envers en haut, porte à la place d'une fenêtre en haut à droite.

page 3 5.

page 4
1-hélicoptère, 2-pilote, 3-Concorde, 4-pale, 5-hélice, 6-bidon, 7-hôtesse, 8-pompier, 9-parachute, 10-planeur, 11-casque, 12-aile, 13-ULM, 14-fusée, 15-mécanicien, 16-sac, 17-siège, 18-réacteur, 19-stewart, 20-cockpit.
IL NE SE POSERA PAS SUR L'ÎLE.

page 5 1G, 2I, 3C, 4M.

page 6 Une baleine, un bateau, une pieuvre et l'île. Il faut prendre D.

page 7 Canard à l'envers dans la fumée du volcan, serpent dans l'écorce de l'arbre de gauche, poule à l'envers entre les herbes de gauche, tortue à l'envers entre les branches de droite, chien sur le côté entre les branches de l'arbre de gauche.

page 8

page 9 La porte complètement à droite, sous les arbres. En haut : barreau de l'échelle scié ; étage (de gauche à droite) : trappe avec des pieux, mitrailleuse, arbalète, poignée reliée à un fil électrique, serpent, araignée ; rez-de-chaussée : dynamite, pointes au plafond, canon par la fenêtre, piège à loup, tuyau de poison.

page 10 MÉFIEZ-VOUS DU DOCTEUR KOLÉRA.

page 11 Téléviseur, tablier, trompette, tenailles, tournevis, tam-tam, trappe, tiroirs, tapis, tuyaux, tabouret, table, téléphone, tableau, tortue, tulipes, télescope, trépied, tréteaux, théière.

page 12 Un robot.

Deuxième partie

page 29 1-tuyau au-dessus de la tête de Sidonie, 2-au-dessus de la main gauche du robot, 3-aération juste au-dessus de la tête de Koléra, 4-genou droit du robot, 5-épaule gauche du robot, 6-pied gauche du robot.

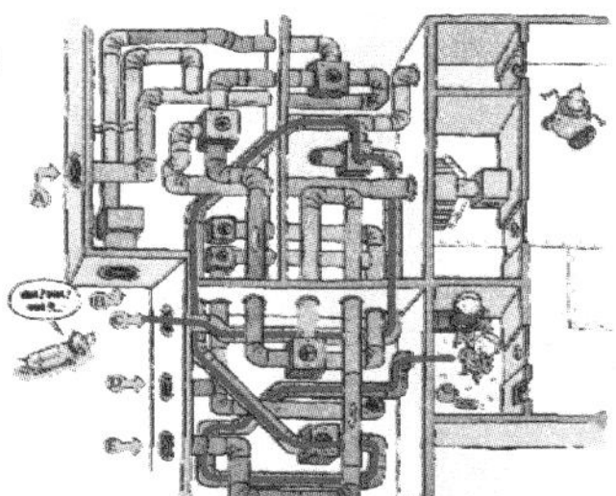

page 30 C.

page 31 Je suis prisonnier de Koléra. Venez à mon secours. Attention aux robots. Tonton Gus.

page 32 Hélice H, foreuse L, détecteur d'os B, projecteur d'acide K, caméras A, moteur I, ordinateur F, haut-parleur D, distributeur de café J, mâchoire d'acier C, lampe E, hélice de sous-marin O, collier antipuces G, antenne M, lance-grappin N.

page 33 1E, 2C, 3A, 4B, 5D.

page 34 Un avion-hélicoptère.

page 35 Martin : coiffure, yeux, traits sur les joues, col, carreaux du T-Shirt, poches du blouson, chaussures, six doigts à la main gauche. Sidonie : yeux, traits sur la joue droite, cheveux à gauche, main gauche, bouche, main droite, pantalon blanc.

pages 36-37
Descendre par l'échelle, monter l'escalier puis l'échelle, aller à droite, monter l'échelle, aller à gauche, monter l'échelle, prendre la clé rouge, redescendre jusqu'à la porte rouge, l'ouvrir, descendre au sous-sol, aller prendre la clé verte, descendre dans le tunnel inondé, aller au bout, remonter trois échelles, prendre la clé bleue, descendre l'échelle, ouvrir les portes bleues et vertes, descendre les deux escaliers, et voilà !

page 38 C'est un four à micro-ondes géant.

Troisième partie

page 55 1A, 2E, 3C, 4D, 5B.

page 56 1-tigre, 2-île, 3-avion, 4-mer, 5-robot, 6-Gus, 7-base, 8-panda, 9-hélice, 10-Koléra, 11-Martin, 12-chien, 13-Sidonie, 14-radar, 15-serpent.
IL VERSE DE L'ACIDE.

page 57 X-4 soulève deux boules, donc 100 kilos. X-6 soulève 80 kilos, donc X-5 soulève 40 kilos. X-2 soulève donc 40+70=110 kilos. C'est X-2 le plus fort.

page 58 B.

page 59 Hublot de la porte, câble sous le désintégreur, fumée sous le désintégreur, jambe de Martin, écharpe sur le pied de Sidonie, rivets sur la base de la grue, fumée à droite de la grue, tuyau à gauche de la porte, numéro de l'écran 01 et 02.

page 60 C.

page 61 1-escalier, 2-dessus de la machine sur laquelle Gus travaille, 3-côté gauche de la même machine, 4-câbles qui sortent de cette machine, 5-plaque de métal à côté du tuyau sous les jambes du robot, 6-même chose.

page 62 1-La, 2-glace, 3-suite, 4-Chantilly, 5-Je, 6-est, 7-robot, 8-Cette.
LA SIESTE.

Solutions des jeux

Jeux en l'an 3000

page 13 Petit immeuble jaune en bas.

pages 14-15
1 Boule à neige (sous la lampe de chevet et sur l'étagère), chien (sur le lit et à côté), tasse (sous le lit et sur le plateau), flûte (sous le lit et par la fenêtre, en gratte-ciel), vache (par la fenêtre et dans le tiroir).

2 Yaourt au saucisson, petit pain aux larves, fruit recyclé.

3 Deux robots avec de nombreux bras lavent Balt-A-Zar.

4 Le VTT jaune.

5 Soucoupe à gauche dans le cadre de la fenêtre, traits au-dessus du radiateur, chaussures sous l'enfant de gauche, troisième œil de la maîtresse, cœurs au-dessus de l'élève du milieu, calculatrice de Balt-A-Zar, lunettes de la petite fille, boulette de papier qui rebondit sur son dos, manette en bas à droite du tableau, bretelles de l'élève de droite.

pages 16-17
Le cuisinier qui fait des crêpes.

page 20
1 A1, B4, C6, D2, E3, F5.

2 Il faut commencer par le C sous la fusée rose : Cet engin va chercher les enfants à l'école.

Joue avec Noé et les animaux du monde

page 21 La vache.

pages 22-23
1 Panda - ours,
koala - kangourou,
anguille - requin,
dauphin - baleine,
boa - tortue de mer,
lion - chat,
loup - cocker.

2 Les éléphants sont du même côté.

3 L'orang-outan est le plus jeune. Le babouin est plus vieux que le ouistiti. Le gorille a 2 ans de plus que le babouin, et le chimpanzé a trois ans de plus que le babouin. Le chimpanzé a donc un an de plus que le gorille ; c'est le chimpanzé le plus vieux.

5 Pièce 1 : autruche.
Pièce 2 : rhinocéros.
Pièce 3 : crocodile.

pages 24-25
Cochon, crabe, cerf, chèvre, crocodile, cigogne, cheval, coq, chameau, chouette, chien, chat, caméléon, castor et le canard sous l'arche.

page 28
1 Il y a une île au nord.

2 Serpent dans l'arbre de gauche, crocodile derrière l'arbre du milieu, éléphant à droite de cet arbre.

Les jeux de l'agent secret 009

page 39 4.

pages 40-41
1 Ne pas oublier de donner à manger au chat.

2 Voler les plans de l'avion à pédales.

3 L'avion à pédales est sur le toit de la base ennemie.

4 5.

5

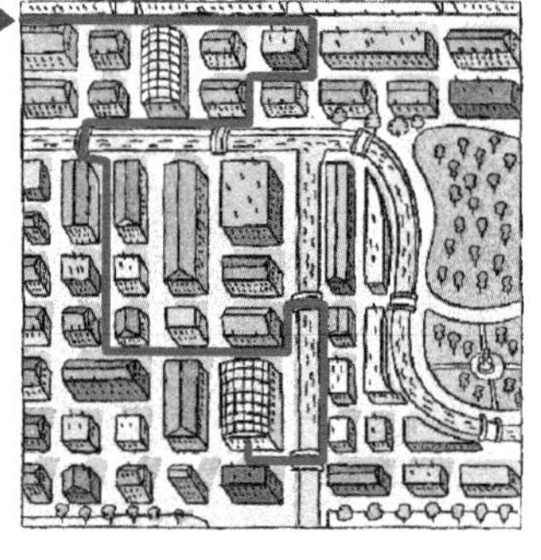

pages 42-43
1 Un radar, une fusée, un avion, un hélicoptère.

2 A.

page 46
1 2, 4, 13 et 6.

2 Ed (Les espions sont classés par ordre alphabétique).

3 2.

Les jeux abominables

page 47 C'est Albert Einstein.

pages 48-49
1 3 : le 1 a deux mains droite, le 2 a deux pieds gauche.

2 1-vampire, 2-fantôme, 3-loup, 4-aigle, 5-crâne, 6-rat : POULET.

3 Crucifix.

pages 50-51
1I, 2O, 3J, 4L, 5M, 6H, 7A, 8D, 9B, 10K, 11C, 12N, 13G, 14F, 15E.

pages 52-53
En 1 n'ouvre pas la trappe. Prends la clé en fer en 2. Va en 5, chercher l'ail. Va en 7 et descends à la cave. Va en 9 chercher l'épieu et en 10 pour prendre la clé en or. Tu perds alors 2 💧 seulement grâce à l'ail. Remonte, va en 3 et ouvre la porte. Prends le crucifix du prisonnier. Monte en 11 et prends la corde : tu perds 1 💧. Redescends et va en 8 pour boire la potion : tu regagnes tes 3 💧 perdues. Va en 6 et descends grâce à la corde. Tu arrives en 12 : ouvre la grille avec la clé en or. Affronte le vampire en 13 : il t'enlève 3 💧. Grâce au crucifix et à l'épieu, tu réussis à le tuer !

page 54
1 1-Justin, 2-Marceline, 3-Josette, 4-Raymond, 5-Lucette, 6-Gertrude, 7-Yvette, 8-Jacky.

2 G malle eau dent : J'ai mal aux dents.

Ile fa lait O thé larme mur : Il fallait ôter l'armure.

Conception des jeux : Paul Martin • Conception graphique : Régis Faller • Relecture : Virginie Verlet
Lito • 41, rue de Verdun 94500 Champigny-sur-Marne • Imprimé en CEE • Loi n°49-956 du 16 juillet 1949 sur les publications destinées à la jeunesse • Dépôt légal : mai 1997